TO:KY:OO

LIAM WONG

リアム・ウォン トーキョー

FOREWORD／HIDEO KOJIMA

序文／小島秀夫

　リアムの「写真」は、単なる「写真」ではない。それらは彼の「作品」であり、創作のために多くの時間と労力が要され、彼がレンズという物体で切り取ってきたシーンに見られる独自の感覚とともに、デジタルの技術が駆使されている。

　都市において進化と退廃が層を成す構造や、そこで生きて死んでいった人々の気配——彼の「写真」からは、そういった普段は目に見えないものさえも感じることができる。

　一枚の「写真」で、そこに住む人たちの視点を通して、都市の過去と未来を描き出せるのだ。独特な光のライン、影、豊かな色彩、輪郭の重なりによって、ひとつひとつのシーンが、美しさと無秩序の絶妙なバランスを保っている。

　彼の「写真」は、イラストでも絵画でも、CGでもない。これは、リアムならではの世界だ。

小島秀夫：ゲームクリエイター。
代表作に、『デス・ストランディング』『メタルギアソリッド』『スナッチャー』等がある。

INTRODUCTION／LIAM WONG

前書き／リアム・ウォン

　子供の頃は、旅をする機会がほとんどなかった。ただ、自分のルーツとつながりを持つためにアジアを訪れたい、という思いは常にあった。スコットランドのエディンバラ出身だが、中国の血も引いているからだ。とはいえ、実際は20代になるまで地元から出たことはなかったし、それまではほぼ、自分の部屋でビデオゲームをして過ごしていた。結果としてそれが、僕にとっては自分の限界を超えて世界に飛び出すための手段となった。

　ビデオゲームはいつだって僕の人生でかなり重要な地位を占めていて、幼い時からゲームデザイナーになりたかったのだけれど、高校に入る頃には勉強に苦戦し、美術だけがついていける唯一の科目になっていた。そして将来の進路をはっきりと描けないまま高校を卒業し、1年間何もせず、ただただ作品をつくってはゲームをして映画を見る、という日々を続けた。アートへの関心が深まったのは、この時期だ。

　この1年を経て、スコットランドのダンディーにあるアバーテイ大学のアートコースに入学した。ここは、僕がビデオゲーム開発にのめり込む温床となったところ。3年生の時に、初めて友人たちと一緒に『Colour Coded』(2009) というビデオゲームをつくり、この制作過程で、自分がゲームのビジュ

アル表現に夢中だと気づいた。その初めて制作したゲームが英国アカデミー賞で二つの賞にノミネートされたものだから、ゲーム業界で身を立てなければ、という気にさせられた。それから僕は大学卒業と同時にクライテック社で「クライシス」シリーズの2Dデザイナーとして働き始め、最終的には統括デザイナーとなった。

そして大学卒業から2年が経ち、アート・ディレクターとしてのオファーを受けてカナダへと移り住んだ。世界最大級のゲーム開発会社、ユービーアイソフト・モントリオールで、25歳の最年少ディレクターとなったのだ。僕の役目は、大規模なビデオゲーム開発のためにビジュアル・アイデンティティーを定義・デザインし、ディレクションすることだった。ディレクションのデビュー作となったのが、『Far Cry 4』(2014) である。

写真への興味がわいたのはユービーアイにいた頃で、主にイベントのために出かけた旅を通して関心が高まった。目にしたものを携帯電話で撮影し始めると、それがビジュアル日記として機能した。そして建築物やさまざまな造形、写真の構図や対称性にも魅了されていった。それからロンドンとパリを初めて訪れたことで、それぞれの都市の雰囲気の違いは、

たいていは建築物によって決定づけられている、という点を
ますます意識するようになった。

　2014年に初めて日本を訪れるきっかけとなったのは、『Far
Cry 4』のプレスツアーだ。東京がフォトジェニックであろ
うことはわかっていたので、この10日間の滞在の前に、撮影
機材をスマートフォンからコンパクトカメラにアップグレー
ドすることに決めていた。その時のプレス・イベントが開催
されたのは、アニメの聖地、秋葉原だった。初めて東京に足
を踏み入れた時、前に来たことがある、という感じがした
——初めて目にした東京タワーに、これまでに出会ったこと
がないスケール感で密集している建物の数々——ビデオゲー
ムやアニメで見たことがあった光景だ。僕は心が動いたのを
感じながら、東京をあとにした。そして、またいつかここに
戻って来ると確信していた。

　それから1年後、丸1ヵ月の滞在予定で再び東京を訪れた時
は、キヤノンのEOS 5D Mark IIIを買うために貯金をしていた。
また、東京を探検し尽くしたくて、自分で地図をつくり、さ
まざまな街の食事処、建築物、観光スポット、面白そうな通
りや横町など、興味のあるエリアは全てリストアップした。

機材のアップグレードは、かなり大変だった。一眼レフ
カメラを使うのが、初めてだったからだ。いろいろと設定が
必要な上に使い方を学ぶ時間もなかったということもあり、
僕は設定をオートにし、撮影しながらテクニックを身につけ
ていった。毎日出歩いていた。と言っても、思い切って典型
的な観光スポットから離れることはまれだったけれど。そし
て2015年12月のある夜のこと、雨が降り、東京に命が宿った。
別の「顔」を現したのだ。それはまるでシド・ミードとリド
リー・スコットによってつくりだされた『ブレードランナー』
(1982)や、ギャスパー・ノエの『エンター・ザ・ボイド（Enter
the Void)』(2009) の世界に入り込んだかのようだった。

　古書の街神保町をぶらぶらしている時には、『クロノログ
(Kronolog)』(1991) を偶然見つけた。稀少な本だ。この時、
シド・ミードの想像上の世界が目に入ってきたことは、僕に
とって意味のある瞬間だった。自分のゲームディレクション
のキャリアと写真のクロスオーバーについて、また、その二
つのジャンルがどうやって結びつけられるかについても、そ
れまで考えたこともなかったけれど、ふと小島秀夫氏の『ス
ナッチャー』(1988) が思い出された。それは、鮮やかな色
彩と美しく描かれたサイバーパンクのイメージで埋め尽くさ
れたゲームだ。それだけでなく、『AKIRA』(1988) や『GHOST

IN THE SHELL / 攻殻機動隊』(1995)、そしてウィリアム・ギブスンの『ニューロマンサー（Neuromancer）』(1984) といった作品も頭に浮かんだ。それまで僕はずっと、写真には特定の流儀があって、加工せずに撮影した画のままにしておくべきだと考えていた。けれども、この時から写真を芸術的な表現媒体としてとらえる可能性を感じ始めていた。

　例の雨が降った夜、僕は一枚の写真を撮った。東京の歓楽街、歌舞伎町で、ラブホテルから出てくるカップルを雨の中待っているタクシー運転手の写真。それが、僕が「瞬間」をとらえた初めての経験だ。旅行の間中、友人たちに見せていたなかでも、特にみんなが惹かれていたのがこの写真（p62-63）だった。そしてもっと写真をシェアしなよ、と背中を押され、インスタグラムのアカウントもつくるようすすめられた。それ以降、残りの滞在期間中は毎晩、午前0時を過ぎると街に出て撮影した。これが、休暇を記録した写真から、作品としての写真シリーズ『TO:KY:OO』への転換地点だった。

　東京での1ヵ月は瞬く間に過ぎて、イギリスに戻ると僕の写真が「Kotaku」というウェブサイトでブライアン・アッシュクラフト氏の記事によって特集された。「東京には夜が一番

似合う（Tokyo Looks Best at Night）」という見出しで。この出来事によって、写真の道に進む僕の足どりは加速した。結果、この写真シリーズは世界的な注目も集め、AdobeやBBC、キヤノン、CNN、Business Insider、Forbesといったメディアでも取りあげられるにいたった。

　写真のおかげで僕は、安全地帯から飛び出して世界をめぐり、さまざまな人たちやチャンスとつながり、自分でもその存在に気づかなかった創造性の扉を開くことができた。『TO:KY:OO』は、東京へのラブレターだ。また、この大都会がどうやって僕のクリエイティビティをかきたて、テクニックを磨く助けとなったかも示している。

　この一連の作品は、僕の写真家としての3年間と、写真のデビュー作の最終的な完成形を網羅している。これまでの僕の旅路を支え、写真家への道に進む力を貸してくださった全ての方々へ。その御恩は、永久に忘れません。この本を見終わる頃には、みなさんもちょうど僕のように東京からインスピレーションを得ていることを願っています。

ACKNOWLEDGMENTS
謝辞

『TO:KY:OO』の出版を実現させてくれたVolumeのみなさん（ダレン、ルーカス、そしてイーヴィ）と、作品世界を通して僕をはじめ多くの人たちにインスピレーションを与え続けてきた、小島秀夫氏、シド・ミード氏、ウィリアム・ギブスン氏に感謝します。

　加えて、写真を通して出会った北村龍平監督、SEKAI NO OWARI、J SOUL BROTHERS、コジマプロダクションのみなさん（ケンとアヤコ）の、日本での応援に感謝します。みなさんのおかげで、日本に舞い戻るたびに、温かく迎えられていると感じることができました。

　それから、僕を導いてくださったヴィンツェンチョ・スピーナ氏、パスカル・ブランシェ氏、アンリ・グアイ氏と、写真を学んでみようという気にさせてくれたユービーアイ時代の同僚たち（ローワン、イアン、キムとアリ、マクシーム、MJ、アレイシア、アレックス、ジュリアン、スコット、ダンとライオネル）に感謝します。家族と友人たち、そしてこの作品をシェアしたり、評価してくださったりした全てのみなさんへ、この本をささげます。

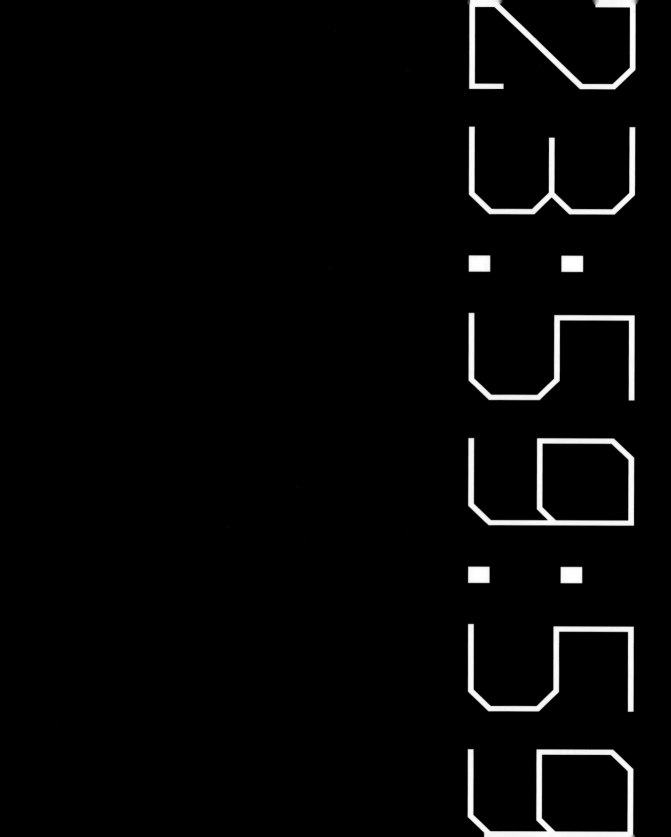

夜の写真を探求し始めたのは、2015年12月だった。深夜0時の、渋谷でのことだ。東京を再訪した際に気づいたのだけど、僕はそれまで高いところから雨の東京を見たことがなかった。渋谷ヒカリエ11階からの眺めは、地上の横断歩道を見わたせる絶好ポイントだった。地上では、影のような人々が透明な傘をさし、舗道が百貨店のライトで照らされ、渋谷スクランブル交差点へ向かうタクシーが渋滞にはまっていた。僕は400mほど離れたところから横断歩道と光の反射をフレームに収め、構図を定めた。そしてそのフレームの中に人が入ってくるのを待って、歩行者信号が青に変わる直前に、この一枚を撮影した。

新橋は都心のサラリーマン街で、東京で夜の撮影をするのにお気に
入りの場所のひとつ。ネオン浸しの路地を歩く一人の男性と、遠方
に見える新橋駅。そこを終電が駆け抜けてゆく。この路地を通って
いた時、見事な光の映り込みを生みながらネオンが舗道に反射する
様子が目にとまった。特にこの画の、左側と右側のコントラストが
気に入っている。

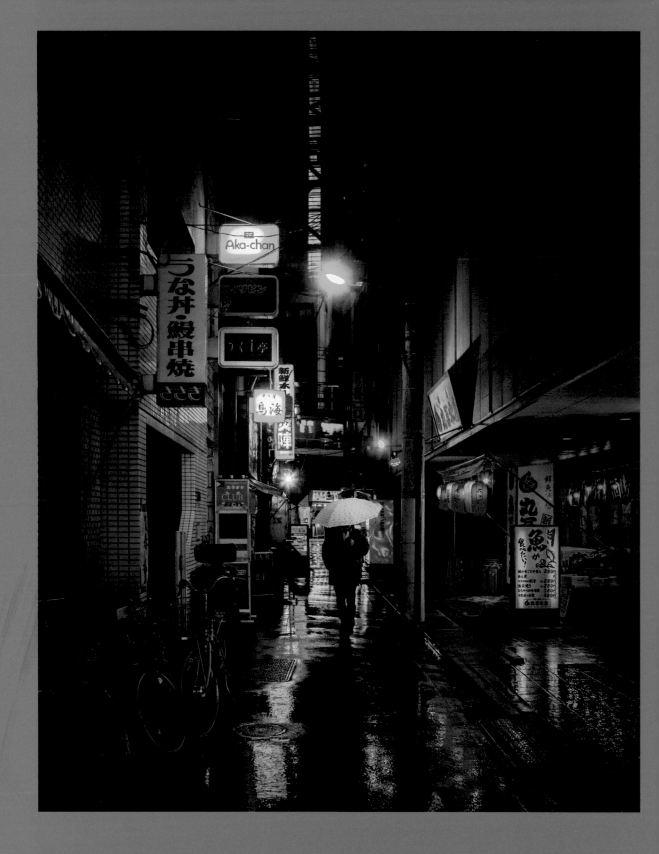

'Rapture'/00:24:56

Liam Wong

→
'Shibuya Lights'/01:21:42

もしあなたが渋谷に居合わせることがあれば、必ず「のんべい横丁」に行くこと。そこは「Drunkard's Alley（酔っ払いの通り）」としても知られていて、あの有名な渋谷スクランブル交差点からすぐのところにある。1950年代初期までさかのぼる歴史を持つ、昔ながらの情景の中に軒を連ねる小さな飲み屋が、その周囲から顔を出す、進化し続ける都会の現代的な建物と対照を成している。僕はこの写真をスマートフォンで撮影し、編集した。撮影後すぐにその画像を加工できるスピードと即時性は、精神衛生上すごくいいプロセスだと思う。

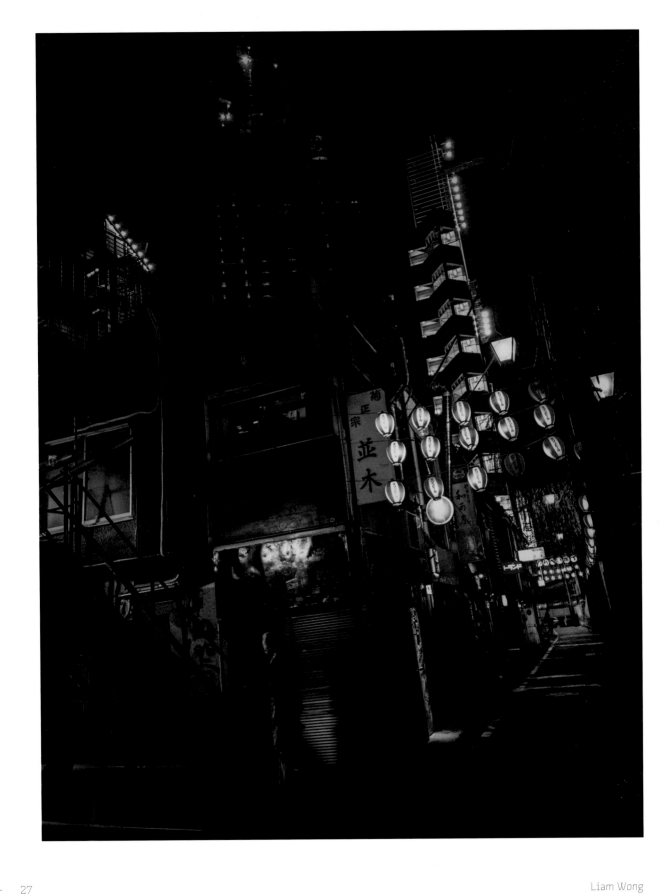

Liam Wong

電車で、探索した経験のないエリアに出かけてゆくこと。それは、
どんな都市に行っても僕が好きでよくやることの一つ。そんな冒険
の最中に、行き止まりの路地にあった小さな飲み屋から、同僚らし
き人たちのグループが歌うカラオケの音が聞こえてきた。軒先の提
灯は、風に吹かれて静かにゆれていた。

'Blade Runner Origins'/00:17:59

写真家になるつもりはなかったけれど、自分の写真を公開するようになってから、特にこの作品のようなシーンが自ずと意味を帯びてくるようになった。その時にはもう個々のイメージが一つの作品として結びつけられるようになり、観る人たちの目に僕のスタイルがはっきりと映りつつあったのだ。
ある夜、渋谷から新宿への終電に乗った。これは新宿駅を出てすぐに撮影した一枚だ。あまりカメラの設定に詳しくなかったので、単純にオート設定で撮った。とはいえ、人物のシルエットのバランスに何か興味をそそるものがあり、ここに一人、あそこに数人、という反復によってスケール感が出ている。

歓楽街での元旦の早朝、暗雲の間から青空が顔を出し始めたのが見える。人気観光スポットの「ロボットレストラン」をはじめ、多くの店のネオンサインは消えていた。昨夜のイベントのことを話しながら、人けのない通りを歩く二人がいた。

'Memory Lane' / 02:14:39

渋谷スクランブル交差点のライトを受けて、通り過ぎてゆく傘の海。この写真は、全体のムードを強調するために僕が初めて色で遊んだ作品の一例だ。写真を探求する旅へ繰り出すにあたって、この作品が重要な一枚になったということが、今になってみてわかる。

写真を習得するにつれ、どちらかというとにぎやかな通りよりも、ひっそりとした瞬間をとらえたいと思うようになってきた。この思いがあったから、僕は建築物に導かれ、それを作品の基盤とするようになった。みんなが眠っている時間帯に街をさまようことにすっかり魅せられ、刺激を受けていたのだ。撮影に出かける時はよく、イヤホンをして気分に合うトラックをかけた。音楽を聴くことで思いもよらない方向に意識が向き、二次元を超えたところでイメージの認識を転換できる。この写真の着想源となったのは、リンキン・パークの同じタイトルの曲だった。

これまでに訪れた都市の中でも、東京の駅は最高に美しくて、駅ごとに発車ベルも違う。僕はよく、次の電車を待っている間に写真を撮る。この写真を撮影した時は秋葉原に向かう途中で、神田駅に到着しようとしている電車に乗っていた。駅のプラットフォームに映り込む巨大なネオンサインが目に入り、写真を撮るために電車を降りた。

Liam Wong

最初のうちははっきりわからなかったけれど、東京で写真を撮り続
けたわずか数年のうちに、この大都市で生じた急速な変化と発展も
詳しく記録していた。例えば、この写真の右側に見える「パチンコ」
と書かれた大きなネオンサインは、今はもうない。訪れるたびに、
絶えず変化する都市の再発見を楽しみにしている。

できる時はいつでも、光を観察してみよう。写真は、光が鍵
となる。僕は、光や照明に加えて、それらが周囲と作用し合
っている様子に常に注意を向けている。そして街をぶらつく
時は必ず、映り込みや影、自然光と人口的な光を探し、とび
きり印象深いイメージをつくりだすために、そのような光の
要素をフレームに収めるようにしている。照明が暗い場所で
の撮影で強い光源がない時は、ポータブルフラッシュとフラ
ッシュ用カラーフィルターを使うことが多いけれど、場合に
よっては、街の風景を明るく照らすためにスマートフォンの
フラッシュライトを使うこともある。

'Self-Portrait' / 00:00:00

'Ono-Sendai' / 03:01:39

'Under Neon Lights' / 01:48:55

撮影に出かけたものの、面白いものが何も撮れなかった夜は幾度と
なくあった。実際の撮影を通して僕が学んだのは、街の中でタイミン
グを待つこと。それを辛抱強く待てば、最終的にチャンスが訪れるの
だ。この写真を撮ったのはバレンタインデーだった。雨の中、新宿
の街を歩くカップル。このイメージがうまく撮れた理由は、その垂
直性と、全体の場面に対する人物の大きさの比率、そして直線と傘
までをも含む様々な要素の調和を通してバランスが取れた構図にあ
る。建物の表面をとらえたのも効いているかもしれない。この写真
を見ると、作品として以前より少し濃いものを撮影できたし、雨の
中で費やした時間は全て無駄じゃなかったな、と感じたことが思い
出されたりする。

Liam Wong

アニメの街秋葉原は、2014年に僕が東京で初めて滞在した場所だ。
それ以来ずっと、ここは僕にとってノスタルジアの源となっている。
日本文化に触れて育っていなくとも、ゲームセンターやビデオゲー
ム、おもちゃであふれたこの街を好きにならずにはいられない。僕
は、線路が見渡せるホテルに宿泊して、毎朝、窓の外を通り過ぎる
電車を撮影した。一つ一つの写真が、思い出だ。街の写真に関して
は、あるイメージをきっかけに特定の場所や時代を思い出す人もい
れば、そのイメージを見て、自分の思い出づくりのためにいつかそ
こに行ってみようという気になる人もいる。

'Kabukicho Gates' / 02:33:46

'Taxi Driver' / 00:00:59

ある雨の夜、東京に命が宿った。僕は、夜の東京の美しさに
迷い込んでしまった。そして何枚も何枚も写真を撮り続けた。
まるで、『ブレードランナー』でシド・ミードがつくりだした
サイバーパンクの世界の中にいるようだった。

→
'Shinbashi'/00:00:39

人はカメラを手に取る時、心を動かされたり、ワクワクしたりした
場面・場所・人々を撮影しながら、自分自身のあらゆるインスピレ
ーションや感覚に指令を出している。この何年か写真を撮ってきた
中で、多くのフォトグラファーたちとのつながりができた。一緒に
街を散策できた人もいる。手法やテクニックをシェアすると同時に、
彼らがどんなものに足を止めてシャッターを切るかを見たり、同じ
場面を違った写真の視点で見たりすることは、いつだって興味深い。

→
'Ultraviolet' / 02:41:27

Liam Wong

'The Cross'/00:14:59

'Kimono Glitch'/01:51:19→

Liam Wong

'Anime Town' / 23:42:09

'After Hours'/04:01:34

'Red Light District' / 01:03:39→

Liam Wong

写真をやる上で一番大変だったことの一つが、技術的な原理を学ぶ
こと。自分の美的感覚をあてにしていたけれど、技術がイメージに
追いつかないことばかりだった。そういうわけで東京は、試行錯誤
をして技術を磨くための、僕の遊び場となった。ここに戻ってくる
時はいつも新しいアイデアや目標を携えていて、そのおかげで少し
ずつ自分の作品の方向性と焦点を定められるようになったのだ。

'Nakano'/00:42:51

'Nighthawks'/00:30:10→

Liam Wong

餃子専科LEE

その通りには焼き鳥のにおいが広がり、新宿で人気のこのエリアの
空気に染みわたっていた。日中、ここをうまく通り抜けて行くのは
むずかしい。インスタ映えする最高の一枚を撮りたい観光客で混み
合うからだ。とはいえ、深夜から早朝にかけての時間帯は、比較的
静かになる。僕はそっちの方が好きだ。

人気エリアのネオン街の裏には、都内をつなぐ雰囲気のある通りが
たくさんあって、ほこりや落書き、工業用バルブに電気設備が層を
成している。それは、表通りからはほとんど見えない、東京の機械
仕掛けの暗部だ。この写真は、24-70mmのレンズを使って広角で撮
影した一枚。街中での撮影で融通が利くだけでなく、場面の垂直性
と圧倒的なスケール感をとらえることができる、僕にとって最も重
要なレンズだ。

Liam Wong

ニーハオ
多野物産
式会社
B
2
1
Gold
ZAZA
なべけん
nabeken-world.com
2F
1F
小夏食堂
女性専用クラブ
本店
B1
餃子
ニーハオ
ホルモン
ROMANT
Sango
PERSEUS
園
BAR
吟

サラリーマンの大群が通りにあふれ、最寄りの居酒屋を探していた。
1台のタクシーが勢いよく通り過ぎていったほんの一瞬の間に、何
のためらいもなく撮ったのがこの写真で、わずか1秒足らずの間に
自分の目では見ることができない場面をとらえていた。

'Akiba Nights' / 23:33:01

当初は、自分のアートの経歴と写真が交差し得るか定かではなかったけれど、両者を結びつけたとたんにすごくたくさんのアイデアがわいてきて、写真とはこうあるべきだと考えていたリミットを感じなくなった。それから作品の着想源として、いろいろなものを見始めた。アニメが、紛れもなくその出発点だ。アニメでは、リアルの環境に何かしらの視覚的処理がほどこされていて、その雰囲気こそが、僕が自分の作品でも再現したいものだった。例えばぱっと見、写真かイラストかわからなくて二度見するような、微かに不完全な感じがそれだ。『AKIRA』、『GHOST IN THE SHELL / 攻殻機動隊』、『新世紀エヴァンゲリオン』のたくさんのシーンを研究した。心が動くシーンを探す東京散策がしやすくなったのは、アニメの色使いや背景に加えて、その構図までもが僕の中で視覚的な基準となったおかげだ。

'Beneath Tokyo' / 23:49:04

東京には個性的な街がたくさんあるので、現代性と伝統の間
にある計り知れないコントラストを楽しめるし、気分次第で
そのさまざまな側面を探ることもできる。そこが、東京のい
いところだ。

田谷不動産

土地・建物 売買

三六五─一五六一

自転車を除く

'Blade Runner Vibes'/00:49:51

←
'Okubo Lights'/02:07:50

これは歌舞伎町のとある通りで撮影した、気に入っている写真の一つ。さまざまな看板に混在するタイポグラフィ、消えていく炭火の煙、焼き鳥のにおい、そして頭上の電線でこの画が分割された様子に、吸い寄せられた。作品と同じタイトル名のヴァンゲリスのトラックを聴きながら、リドリー・スコットの『ブレードランナー』の、あの濃密な都市の情景が思い出されていた。人々が街を自転車で駆け抜け、抑えられた色調とくっきりした影が互いに引き立てあっている。この作品を通して伝えたかったのが、その雰囲気だ。

極めて印象的な写真の雰囲気は、色と質感の実験によってさらに強められ、引き出すことができる。また、ほんの数歩対象に近寄っただけで視点が面白くなることもある。浅い被写界深度でくっきり写しだされた細部と絞られた焦点の対比が生まれ、ごちゃごちゃしたシーンが周囲と切り離される、といった具合に。

'Noir' / 23:56:30

'Tokyo Mood' / 00:59:59 →

Liam Wong

'The Crossing' / 23:00:42

'Kiss Land' / 00:01:10

'Vanishing Point' / 02:20:00

'Syncro' / UU:UU:41

'The Nights' / 01:34:40

'Shibuya Grunge' / 00:01:20

'Shibuya Grunge' / 00:02:00

'Shibuya Grunge'/00:02:33

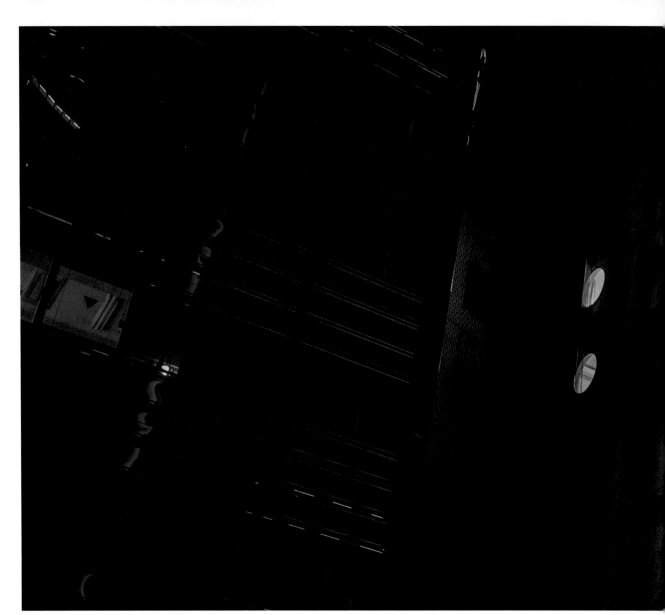

'Nakagin Capsule Tower'/00:57:02

'Karaoke'/00:00:49

'Traffic' / 02:32:19

'In The Mood For Love' / 00:49:41

ビデオゲームが、レンズを通して見る僕の世界の見方を形成
した。そして写真は、とらえた瞬間やストーリーを共有し、
自分自身を表現するための手段となった。

かの渋谷スクランブル交差点を初めて訪れた時、圧倒された。特に、写真を撮ったり、セルフィー棒をかかげたりしている何百人もの人々がすごかった。静と動が成すコントラストに、僕はとてもそそられる。例えば、信号が変わってたくさんの人が押し寄せる直前の、一瞬の切れ目のようなやつ。

'Streetlights & Silhouettes' / 23:30:21

'Lonely Umbrella' / 00:39:35→

Liam Wong

'Typhoon'／00:12:30

'Gado-Shita' / 00:06:03→

Liam Wong

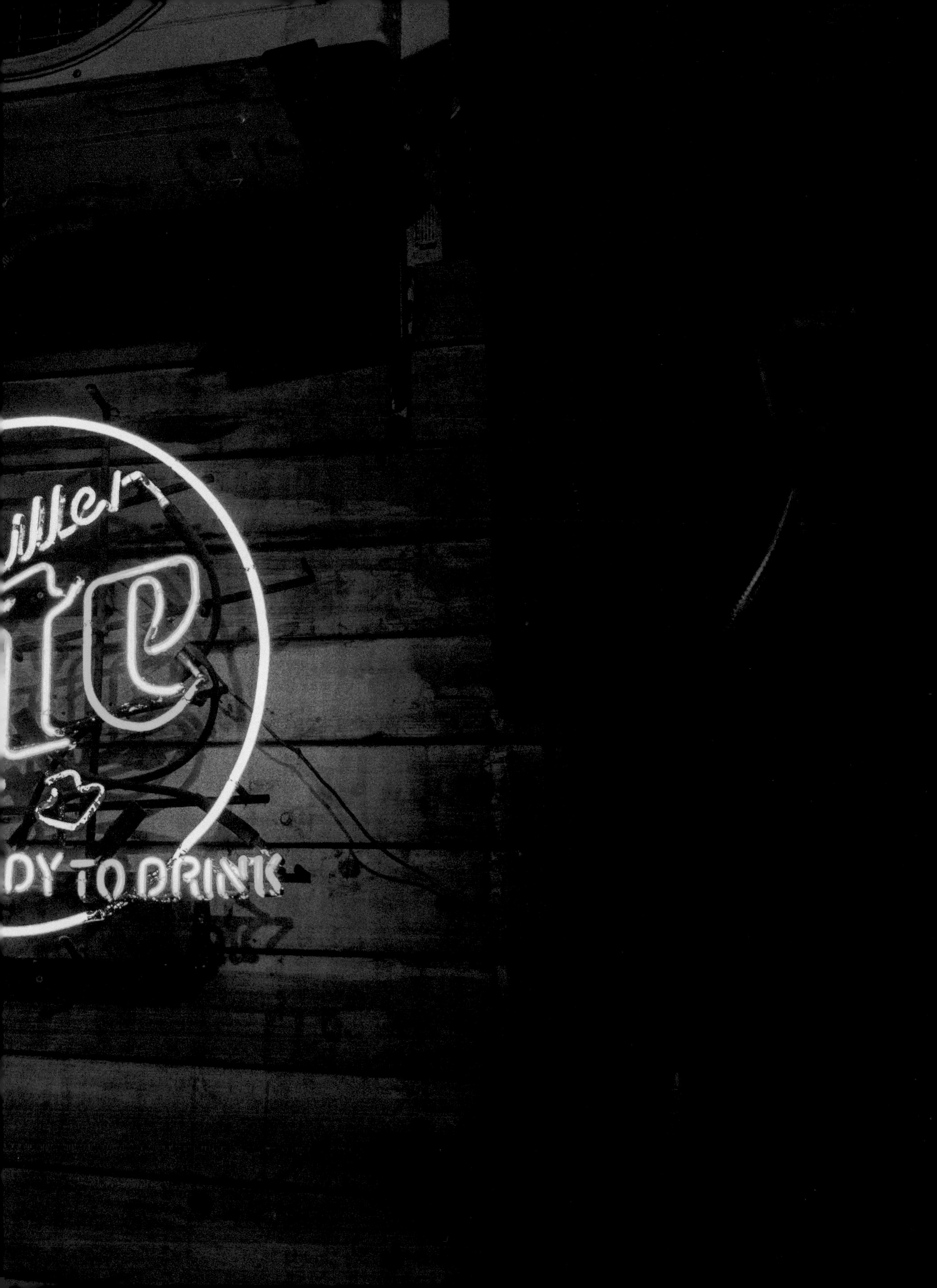
DY TO DRINK

'Tokyo Vice' / 23:52:02

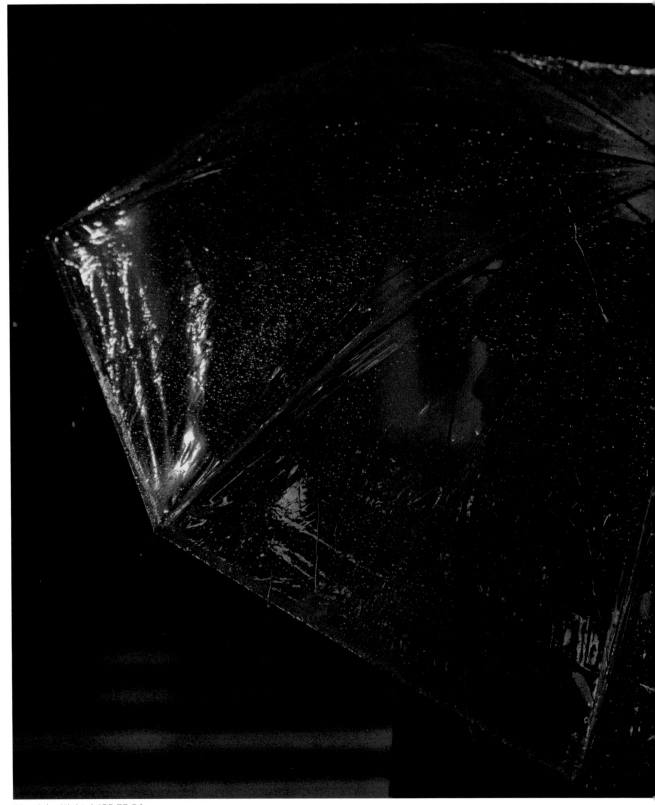

'Harajuku Nights' / 00:53:04

'Hamadayama' / 00:00:30

特に目的もなく出歩く夜もあって、これはそんな夜に撮影したもの。
この時は、望遠レンズに切り替えた。目立ってしまうので普段は使
わないのだけれど、雨が降っているとたいてい気づかれない。この
見開きに載せた写真は全て原宿で撮影したもので、前方の被写体に
ピントが合い、背景がぼけている具合が気に入っている。

'Harajuku Nights'/23:59:00

'Harajuku Nights'/00:05:55

'Harajuku Nights'/00:01:34

真夜中と早朝の間の時間帯に、東京は違った顔を見せる。その時こそが、僕が街をさまよう時間だ。電車が止まり、この都市が眠る時。

'Rooftop Escape' / 03:09:22

←
'Akiba Maid' / 23:48:17

Liam Wong

日本のアニメを見て育った人なら誰だって、東京タワーの眺めには
馴染みがあるはず。機内からちらりと東京タワーが見えると、東京
に着いたってことだ。六本木の森美術館は、大都会東京の風景を眺
めるのに一番気に入っているスポットだ。

'Izakaya Hour'/ 00:19:03

'Blue Monday' / 01:56:02

東京は、雨が多い。天気予報が雨だと、だいたいの人は喜ばないけ
れど、僕は逆だ。雨の日は、うれしい。必ず出かけて、雨がやむま
で撮影する。

僕はリアルな瞬間を切り取り、シュールなものに変換させる。
観る側に、それぞれの写真に写し出された現実に対して疑問
を持ってもらうために。

'Midnight Drive'/00:03:09

'Midnight Driver' / 00:08:12→

Liam Wong

作品のムードづくりのためのインスピレーションを、音楽からたくさんもらっている。また、写真にのめり込むにつれ、映画撮影技術を手本にテクニックを身につけようと、今まで以上に映画を研究するようにもなった。いつだって、普段の時間の中の映画的な瞬間を探すようにしている。ここに載せた写真は全て、ある晩タクシーで帰る時に撮ったものだ。

'Shadow On The Sun'/00:23:49

'Shadow On The Sun'/00:24:21

'Shadow On The Sun'/00:24:56

'The Gates' / 00:03:31

'Overgrowth' / 00:01:29→

'Night Time Neko'/03:00:00

夜、こんなふうに街をさまよっている
と、人懐っこい猫たちに出会う確率が
高いだろう。僕がいつも不思議に思っ
ていたことがあった。東京では何のた
めに家の外にペットボトルが並べられ
ているのか、ということ。後でわかっ
たのだけれど、それは「猫避け」の一
種で、猫を怖がらせて追い払うための
ものなのだそう。

四季を通じて、東京の有名な観光スポットは異なる装いを見せる。この写真は、新宿西口「思い出横丁」がひまわりで飾られた春に撮影したもの。

↑'Okubo Night Patrol'/00:42:12

ここ数年で、大久保は僕の第二のホームになった。歌舞伎町とコリアンタウンからすぐのところにあって、夜行くのに最高の場所だ。

↑'Okubo Night Patrol'/00:45:29

浜野歯科医院

1-21

POLICE

練馬 800
せ・631

CROWN

ho Night Patrol'/00:46:02

'Konbini' / 00:00:18
←'Dark Necessities' / 00:00:23

← ←
'Transparency'/01:29:39

←
'Shibuya Glow'/23:05:29

Liam Wong

夜が明けるにつれ、東京のネオンの明りもだんだん消えてゆく。街が動き出すと、新しい一日が始まる。僕は帰宅する前に、最後の束の間の一瞬をカメラに収める。

'Rainy Nights in Harajuku' / 00:10:08

'Youth'/23:11:00

'Monkey Bar' / 03:02:00

街を歩く時はたいてい、被写体の重なり合っている部分を探している。特に、線と幾何学的配置の重なり合いなんかは、とても簡単に構図のベースにできる箇所の一例だ。この写真の場合でいうと、アーチと、そのちょうど真ん中に並べられた提灯に惹きつけられた。そして高架上に電車が通るのを待ってシャッターを切った。前方にタクシーが停車したのは、ラッキーな偶然だった。

'TO:KY:OO From Above'/23:03:32

'TO:KY:OO Night Train'/00:00:00

'Sunset Over Fuji'/19:44:21

'Dragon Alley' / 05:42:45

00:02:53–00:03:42

Liam Wong

JOYSOUND
町安心★ナビゲーション!
ポケパラ
全国の
女の子ブログ
いっぱい!
全300室
カラオケ
カラオ
たばこ
直売所
カラオケ

色、趣旨、構図は、『TO:KY:OO』において重要な役割を担って
いる。最後に、制作のプロセスとテクニックをちらりとお
見せしたい。

Liam Wong

ELEMENTS OF STYLE
スタイルの要素

線／視点を導くもの→20-21

タイポグラフィ／ネオンと看板→50-51

スケール／垂直性と路地→88-89

質感／雨→204-205

自分の写真のアイデンティティーを確立するには、一貫性が大事だ。外せない構成要素を突き止めれば、ひと目で自分の写真だとわかってもらえるスタイルを明確にできる。その外せない要素を頭に入れ、自分の作品への落とし込み方をつかむことが、より一層際立つ作品づくりに役立つ。

コントラスト／影とシルエット→104-105

強調／焦点→218-19

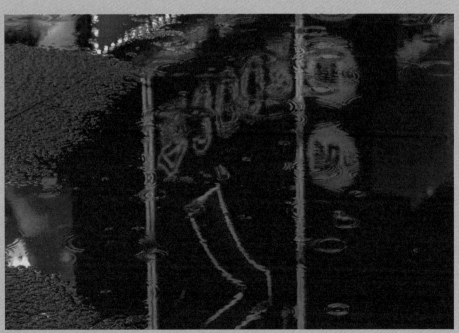

形／映り込み→54-55

Liam Wong

COLOUR
色

→40-41

→68-69

→107

写真の方向性を定める際にすぐに気づいたのが、自分の作品では色が大きな役割を果たすだろう、ということ。僕の初期の作品スタイルは変化に富んでいて、それが僕の作品だと特定しにくかったけれど、その段階を経て、補色だけを使うという時期に突入した。それが僕のトレードマークとなった、というわけだ。

→47

→29

→108-109

Liam Wong

COMPOSITION
構図

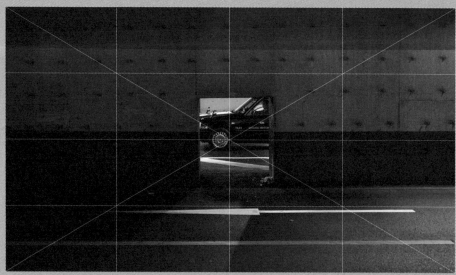

直線／水平線に導かれて→134-35

幾何学的／アーチ、提灯、電車→217

三分割／それぞれの垂直線→122-23

街中で写真を撮る時、被写体に「ポーズをとって」と普通は頼めないので、形や建物、被写体の写る位置を調整するために、自分の立ち位置を変えることが多い。構図でバランスをとり、判断基準となるシンプルな可変グリッドを重ねてみたりしながら。

砂時計型／対角線で四分割→45

バランス／等分割→56

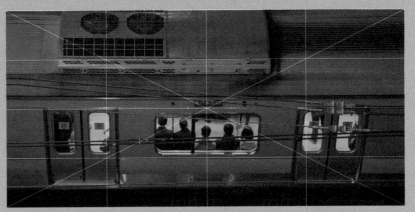

シンメトリー／同じ幅で分割→220-21

Liam Wong

MAKING: TOKYO MOOD

メイキング：TOKYO MOOD

この作品では、いくつかの写真を組み合わせてフォトショップでの描画モード（ブレンドモード）を使用した。重なりをつくり、質感と深度で実験するためだ。質感で試したかったのがライトリーク（光漏れ）、深度で試したかったのがピントを外したエフェクトだ。

Liam Wong

最終的に、複数の写真が重なり合い、元の画像の暗い部分が上塗りされた。僕はだいたいにおいて、作品を部分的に、特にハイライト部分を明るくしがちだ。ハイライトは、作品の立体感を出すために目立たせるべきだと考えているから。

Liam Wong

メイキング:TOKYO GLITCH

Liam Wong

結果として、完全に理解するために二度見したくなるような作品が完成。目指したのは、目立つ焦点をつくることだった。それは、左側のピクセルを引き伸ばしてバランスを取り、鍵となる部分の明暗を調整し、下側のカーブする川に観る側の視線が自然と向くように、色のコントラストを強めることで実現した。

Liam Wong

曇りがかった日に撮った4枚の写真。1枚ずつだ
とそれほど面白くないけれど、この作品のベース
となったものだ。この4枚を継ぎ合わせて1枚のパ
ノラマ写真とし、彩色しなおした。

MAKING: NEO TOKYO

まず、色を大胆に調整するところから始めて、さらに暗いムードにするために、フォトショップの調整レイヤーを使って色相・明度・彩度を変更した。それから反転させた画を真上に足した。

Liam Wong

Liam Wong

Liam Wong

3034
.danielpg
10honey
Aaron
Thomas Aasebø
Gladyfaith Abcede
Marwan Abderrazzaq
Hans Abdullah
Matthew Abery
Enzo Abihdana
Michele Abounader
ABS
Diego Acosta
Steven Addison
Jens Adolfsson
David Aerne
Michael Agam
Adrien Aggery
Robert Agosto
Nadia Aguirre
Gorka Aguirrebengoa
Muska Ahmadzai
Ayaz Ahmed
Matt Akehurst
AL:SO
Alan
Didier Alber
Alberto 'Zumito'
Daniel Alcorn
Morrissey Alexander
Guillemin Alexandre
James Alford
Hussain Aljumah
Abdullah Alkhatib
Freya Allan
Alessandro Allemanno
Chloe Allen
Victoria Allen
Clarissa Ally
Daniel Alonso
Victor Alonso
Noe Alonzo
Meteb Alsahli
Sultan AlSaud
Anthony Altaras
Aluslaw
Alvaro & Viriato
Nomuna Amarbat
Ken Amarit
Lionel Amedee
Nicholas Ames
Hugo Amorim
Aurelie Amyot Roussel
Sunny Anauth
Daniel Raphael
  Ancheta
AndAtWhatCost
Julian Anderer
Anette Andersen
Adam Anderson
Alastair Anderson
Brent Anderson
Patrick Anderson
Steven Anderson
Hampus 'hampe'
  Andersson
Johan Andersson
Ludivine André
Andrea
Andreas
Codin Andrei
Eric Andrew
Ross Andrew
Ken Andrews
Olga Andriyenko

Andy 'LondonSake'
Anthony Angell
Roger Anguera
Matthew Ansell
Jerome Antoine
Shinji Anzai
Alejandro Apodaca
Coleen Apostol
Tom Apostolatos
Nicole Aptekar
Abdullah Aragz
Evan Arellano
Laura Arentz
Guido Argenta
Nathan Armes
Ben Armstrong
Matt Armstrong
Johnathan Arneson
Arnodefrance
Benjamin Arnold
Justin Arnold
Cameron Arnott
Davide Aronnax
Miles Arq
Juan Arreche
Faivre Arthur
Lily Arundell
Asaki Ashcroft
James Ashton
Pete Asick
ask/i
Fiona Asokacitta
Tobias Asplund
Tom Aston
astral.jpg
Farid Asyabani
Imanol Atxotegi
Paul Pipaul Aubineau
Mathilde Auclert &
  Nicolas Arsonneaud
Naomi Augustine Yee
Garrett Austin
AVX
Haya Awaad
Axis Studios
AymericD
Jacob Azizi
Nameerah Azman
Arnau Azorin Villa
Yosuke Azuma
Adri B
Agnès B
Kyle B
Laura 'DC' B
Daniël Baaijens
Bram Baas
Tony Bader
Aaron Baideme
Alexander Baile
Navroop Bains
Ben Baker
Brandon Bakhaus
Frederico Balboa
Chad Balch
Paul Balchin
Julien Baldach
Edoardo Baldi
Adam Baldwin
Charlie Banks
Brent Bannister
Gary Bannister-Simm
BM Baquero Stand
Peter Bara
Charles Baraton
Justin Barber
Mathieu Barbier
Michael Barclay

Benjamin Bardou
Aaron Barfuss
Hannah Barlow
Peter Barnard
Matt Barnes
Aaron Barnett
Daniel Barnier
Mike Barnucz
Lewis Barrett
Thomas Barrington
Stuart Barron
Joshua Barry
Daryl Bartley
Thom Bartley
Domenico Bartolo
Elora Barua
Guillaume Basley
Ricardo Batchler
João Batista
Pedro Batista
Christopher Battaglino
Benjamin Bauer
Jörg Bauer
Lucie Bauguion
Marcus Bayes
Brandon Bbosa
Eleanor Beal
Ross Beale
David Beasley
Olivier Beaugrand
Sebastien Beaulieu
Collin Becker
Peter Becker
Matteo Beda
Will Bednarz
Alexander Beech
Javier Alejandro
  Begazo
Crystal Behring
Graeme Purdy Bell
Kirsty Bell
Eric Bellamy
Melanie Bellenger
Emilio Bellu
Carlos Belmonte
Andrew Benjamin
Matthew Bennett
Richard Bennett
William Bennett
Thomas van den Berg
Federico Berge
Joey Bergeron
Lee Bermejo
Mike Bermudez
Chloé Bernadet
Tesia Sinai Bernal
Frederic Berninger
David Berrocoso
  Salmeron
Chloe Berryman
Sergio Bertani de
  Lama
Pasquale Bertolino
Gaia Bertoncelli
Tristan Bethe
Urs Bette
Keturah Beverly
Gustavo BG
Dharmesh Bhindi
Sara Bianchetti
Kevin Bibby
Bethan Bide
Chris Bietz
Al Billings
Alex Billington
Cornell Binder
Arthur Birée

Colin Bishop
Mike Bithell
Jacob Bizley
David Bjorne
Benjamin Black
Black Bear
Carl Blackburn
Marden Blake
Yoann Blanluet
Amanda Blatch
Jonathan Blau
Florian Bleck
Katarzyna Blocka
Michael Blom
Guy 'Yug' Blomberg
Matt Blumberg
Flex Blur
Andi Bocsardi
Maureen Bodson
Zack Boehm
Daniele Boeri
Jack Bogdan
Dimitri Bohlender
Uldis Bojars
Michal Bojko
Ferenc Boldog
Keith Bolland
Eben Bolter
James Bolton
Maxwell Bond
Marco Boninsegni
David Bonnefoy
Nicholas Bonutti
Bardia Boomer
Dimitri Boone
Geoffrey Boothby
Blair Borden
Maggie Borland
William Bornet-Sédiey
Mauro Borrazás
  Canzobre
Mary Borsellino
Stacy Bosowski
Guerman Botten
Amira Bouchelliga
Kevin Bouvier
Annie Bowers
Jeff Bowers
Jamie
  Bowie-MacDonald
James Bowler
Linda Bowman
Steven Bowman
Jack Boyle
Richard Boyle
Bozzie
Charles Bradshaw
Geoffrey Bradway
Marc Brandsma
John Brandstetter
Liam Brannan
Hebru Brantley
Nadia Bravo
Josephine Brennan
Adrian Brenner
Simon 'Bunny' Brewer
Greg Briden
Douglas Bridge
Jeffrey & Susan
  Bridges
Gabe Bridwell
samuel brierley
Jonty Brigers
Aren Bright
Aaron W Briones
brishtag
Steev Briston

Matthew Broadey
Seb Broadhurst
Clare Brodak
Hugo Broder
Jochgem van den
  Broek
Fabiano Broki
Jason Brooks
Will Brooks
Aylsa Brown
Ben Brown
Chris D Brown
Gordon Brown
John Yonatan Brown
Mark Brown
Matt Brown
Nicholas Brown
Philip Brown
Reiana Brown
Sarah Brown
Steven Brown
Thomas Brown
Marcel Brys
Adam Bshero
Lukas Buergi
Boris Bügling
Khoi Bui
Jud Bumpas
Victor Burgues
Burgundy
Nate Burke
Dominic Burkhardt
Maximilian Burkhardt
Andy Burn
Chris Burns
Jerome Busnel
John Butchko
NIcholas Butta
Andrew Butter
Dominique Buttiens
Courtney Button
Melissa Byers
Jasper Byrne
Zed Byrne
Perditah Byrnison
Daniel 'shadmed' C
Geoffrey Caballero
Dylan Cabildo
Benedict J Cabot III
Michael Cabral
Jose Cáceres
Cadinth
Mathias Caetano
Paul Cafardo
Carol Cagle
Charlotte Cain
Keiron Calder
Daniel Calderon
Daniel Calderon II
Richard Caldwell
Chet Callahan
Daniel Calvert
Juan-Carlos Cambon
Enguerrand
  Camerlynck
Scott Cameron
Manuel Camia
John Camille
Alex Camilleri
Lyall Campbell
Scott Campbell
Tim Campbell
Zairil Campbell
Kingsley
  Campbell-Hunter
Canard_Poussette
Paul Canavan

Cristiano Canguçu
Alan Cantes
Heather Cape
Captain Chaos
Giglio Capurro
Xavier Carbo
Stephane Cariou
Ben Carmeli
Jesper Carming
Caro
Patricio Carricondo
Jonny Carrington
Joseph Carroll
Stuart Carson
Calin Carter
Sean Carter
Barry Caruth
Tom 'Lattie' Casacoli
M Casey
Mark Casey
Irit Caspi
Carl Cassel
Paul Cassell
Luca Castellani
Diego Castillejo
Sergio Castro
Fabio Castro 'Fabiocs'
Alessandro Cavallo
Eddie Cavan
Joe Cavers
Celine
Michele Celotti
Jean Cerasani
Gabriel Cesana
Frederic Chacar
Warren Challenger
Stewart Chambers
Charmaine Chan
Elsie Chan
Jim Chan
MacCaulley Chan
Nelson Chan
Jeff Chanchaleune
  'Gor Ramen & Gun
  Izakaya'
Junghun Chang
Dillon Charron
Niqi Chasseau
Brandon Chasseur
David Chatenay
Ram Chaturabul
Valerie Chavez
Chemelle1
Alexander Chen
Annie Chen
Bright Chen
David Chen
Kelly Chen
Millie Chen
Tiffany Chen
Weiheng Chen
Yung-Jae Chen
Kun Cheng
Raffaela Chenlu
Andrew Cheong
Kwan Hon Anson
  Cheung
Ubiratan Cheze
Wayne Chia
Sam Child
Ridge Chin
Jason Chinnock
Chisezo
Adrien Cho
Deepak Chokkadi
Christian Chomiak
Laureline Chopard

Amaury Chouia
Amaris Chow Santos
Adrien Chretien
Chrimer-san
chrishiro
Charlotte Christine
Dimitris
  Chrysostomou
Cary Chu
Andy Chung
Kar Man Chung
Caroline Chuong
Nathan Churchill
Diego Cipolla
Cirtheru Cirtheru
Kirsty Clark
Ellen Clarke
Claudio
Jason Cleaver
Tsugio Cleckley
Thomas Clement
Conall Clements
Sam Clements
Kevin Cleppe
Jonathan Clerc
PA Clergue
Cley
Delaney Clifford
Kimberly Clifton
Carlos Cobos
Evelyn Cobos-Diaz
Audrey Coent
Alexandra 'cohalx'
  Cohadon
Helen H Cohoon
Rob Colbourn
Makayla Cole
Paddy Cole
Robert Colenso
Peter Colleran
Conan
Frankie Concha
Amber Congdon
Stephen Conn
Jason Connell
Matt Conroy
Giordano Bruno
  Contestabile
Gerardo Contreras
Ronan Conway
Jill Conway Costa
Dyl Cook
Jonathan Cook
Kyle Cooper
Michael Cooper
Phil Corbett
Andrew Cordivari
Krishna Corinaldesi
Adam Corney
Vitor Correa
Yolanda Correia
Tyler Corry
Mateo Costa
Jerome Costaglioli
Matt Costain
Evan Coughlan
Frederick Cousineau
Chris Cousins
Jeramy Couts
Tom Coutts
Marc-Étienne Couture
Jordan Cowell
Daniel Cowles
Estelle Cozot
Dennis Cramer
Brandon Creighton
Andrew Crespo

Colin Crichton
Thomas Critchlow
Tom Crittenden
Beau Cronin
Charlotte C Crouzet
Ryan Crowhurst
Crowley950
Sean Cruikshank
Day Cruz
Brando Cuccaro
Javier Cuenca Alvarez
Sichao Cui
John Cullen
Jay Cummings
Curbside Jones
Benoit Curie
Sam Cutler
Elliott Cutright
Mario Cvetkoski
E D
Vilbur D'souza
Margaux Da
  Nascimento
Dan Da Rocha
Micah J Daby
Izabela Dachowska
Jeff Daggett
Niclas Dahl
Dajana
Tabitha Dale
Carina Dallmeier
Christopher J Daly
Demi Damen
Daniel Daniel
Steinar Danielsen
Tamim Daoud
Faaris Dar
Leila Darbas
Arcnes Darkhart
Roxana Darviche
Deepankar Datta
Rob Daus
Stefan JP Davenport
David
Robin Davies
Stewart Davies
Jake Davis
John Davis
Reuben Davis
Spencer Davis
Allan R Dawson
Sophie Dawson
Leonardo De Biaggio
Alfonso De Gregorio
Marvin de Kievit
Javier de la Torre
Claudio De luca
Marco De Mooij
Francisco de Paula
  López Pérez
Roberto De Pellegrin
Rinat De Picciotto
Martin de Witte
Adrien de Wolkoff
Konrad Debowski
Maxime Deconihout
Christopher Degen
Jon Dehart
Eddy Dekan
Francis Delahegue
Melodie Delamourd
Mario Deli
Leo Delizy
Fabian Denter
Ashley Denton
Nicholas Denunzio
Zoé Derideau

Joseph DeSalvo
Nick DeSantis
Nicholas Desilets
Blaise Deville
Laura Di Piazza
Andy Diaz
Miles Diaz
Jesús Diaz
David Dibben
Jacky Diep
Thomas Dilligan
Karl Dimitri
Bradley Dimmock
Matt Dinep
Marcel Dirkes
Brent Disbrow
Wayne Dixon
DKAISM
Theresa Do
John Dobbie
Nicholas Dodd
Anke Doerfel-Parker
Zac Doke
Furkan Dönmez
Stephen Donnelly
Oisin O Donovan
Harrison Doré
Ahira Doroshin
James & Sylvia Dougan
Payom Dousti
Kevin Dowling
Daniel Martin Downes
Jonathan Downin
Aidan Doyle
Conor F Doyle
Doug Doyle
Michail Dim
  Drakomathioulakis
Rahul Dravid
DreAlonso
Tim Dreher
Cory Driscoll
DRSantos
Eric Duan
Thomas Dubois
Julia Ducey
John Ducusin
Robert Duda
Gerry Duggan
Marc Duhem
Haarm-Pieter Duiker
Alasdar Duncan
Brodir Duncanson
Robert Dunnell
Bobby Dunning
Marcus Dupart
Autumn Duris
Gregory Durst
Talicia Dutchin
Sebastien Duteil
Dvmivn
Logan Dwight
The Dwyer Family
Pavlo Dyrda
Chris Eadie
Christine Eastman
Chris Easton
James Eavis
Ebene
Dana Echt
Ectolghost
Tyler Edell
Frederick Edminson
Cedric Edo
Gareth Edwards
James Edwards
Luke Edwards

Eewnice
Ivan Efremov
Stefan Eideloth
Kjell Are Einarsve
Andrew Eisenberg
Alexandr Elichev
Elizabeth
Jackson Ellens
Andrew Elliott
Fadumo Elmi
David Elwell
Mark Elwick
Damon Emde
Vitor Augusto Emer
  Moschetta
eMKa_
Ari' El Encarnacion
Danilo Enju Sato
Erik mit K
Dmitry Ermakov
Jose Escribano
Perla Estaty
Josep Esteban Herrera
Adrián Estrada
Lydia Etches
Phil Etherington
Sabin Eubanks
Link Euclid
Paulo A Evangelista
Vanessa Evangelista
Jamie Evans
James Everett
Janay Everett
Pierre Arnaud Evrard
Exactly13 Ltd
Eye/van
Ben Eyles
eyyojung
Felicia F
Stephanie F
  'tanpopo_3'
Alexandre F morais
Chase Failey
Chet Faliszek
Courtney Falk
Fallone
Andre Farah
  Massumoto
Clare Farrar
Joe Farrell
Juliet Karnaelle Faure
Nicolas Favrichon
Fáyer
Callum Fazackerley
Eric Fehlberg
Jose Felix de la Herran
Luisa Fernanda
Erven Fernandez
Niko Fernandez
Alex Ferreira
Miguel Ferreira
Alyxandra
  Ferris-O'Brien
Alberto Ferru
Calder Fertig
FFTLate
Lucas Gaspar Fialho
Vinny Fiano
Christopher Figat
Will Files
Russell Fincher
finder647
Ian Findlay
Bogdan Firsov
Lawrence Fisher
Mark Fisher
Martin Fisher

Christian Fisker
Thomas Fitzpatrick
Nathan Fitzsimmons
Martin Fjelldal
Molly Fletcher
flihp
Cameron Flores
Steven Flores
Juan Florez
Raphaël Flori
Christopher Floyd
David Flynn
fmhgk
Kristen Fong
James J Font
  Rodriguez
Bertrand Fontana
Mikael Fontanez
Foo Shi Ping
Bryn Forbes
Robin Fordham
Nick Foreman
Manuel Forget
Nikko Fornasero
Chris Forrest
Chris Forrest
Phillip Forrest
Antoine Fortier-Auclair
Justin Foster
Neil Foster
Nick Foster
Raphael Fournier
Aidan Fox
Karl Francis
Kevin Francis
Kelvin Francisco
SF Frank
Zoe Fraser
Tina Fratnik & Urska
  Vardijan
Ann Fratti
Daudi Frederick-Cato
Justin French
The French Monkey
Bex Freund
Florian Fricke
Michael Fritz
FrZ
Nishan Fuard
Terumasa Bones Fujita
Iain Fulford
Enya Funke
Dmitry Furuta
Nile Fyfe
Phoenix G
Nick G Fall 'Ideosound'
Summer Gaal
Abhishek Gadiraju
PJ Gaerlan
Andrew Gafarov
Ruslan Gainutdinov
Jose Ignacio Galdo
  Roc
João Galiano
Brian T Gallagher
Héctor Gallego Moreno
Caitlin B Galligan
Martin Han Gao
RJ Gao
Gabriele Garanzelli
Christopher Garate
Angelica Garcia
Peter S Garcia
Nerea Garcia
Patricia Garcia del
  Pozo
Diana Garcia

Jaramillo
Francisco Garcia Nava
Manuel Gardoni
Alexander Garland
Víctor Garrido Aguilar
JB Gartner
Alex Gascoigne
Hannes Gasser
Tom Gaulton
Ci Yang Gee
Roel Geleijnse
Tim George
Liam Georgensen
Joachim Germain
Patrick Gertz
Joachim Gesien
Arthur Ghazaryan
GhostMilker
Sasha Giacoppo
Casey Gil
Alexandria Gilday
Ryan Gill
Richard Gillen
Stephen Gillis
Juliette Gillissen
Lou Gimonet
Jorge Giner
Phillipe Girouard
Maxx Giroux
Umberto Giuliano Albo
Maxime Gladu
Harry Glaser
Eugene Glybin
GMarkC
The goanna & bluegrrl
Dimitri Gochgarian
Sterre Goedkoop
Chris Goff
Sarah Gogniat
Han Shen Goh
Bradley Gold
Scott Gold
Chris-Nathan Goldie
Richard Gomes
Darion Gomez
Sebastian Gomez
Millena Goncalves
Carl Gonzaga
Kendall Gonzales
Aaron Gonzalez
Carl Gonzalez
Kevin Gonzalez
Mark Gonzalez
Victor Gonzalez
Yvonne Gonzalez
Enrique Gonzalez
  Anaya
Javier González
  Martinez
Alex Goode
Steve Goodman
Tim Goodwin
Iain Goodyear
Tor Goon
Philipp Gorczak
Duncan Gordon
Kyle Gostinger
Oscar Götlind
Melissa Goudie
Sebastien Goutal
Jonny Graham
Dani Granado
Austin Grandt
Denis Grange
Denue Grant
Josh Green
Paul Green

Thomas Greene
Toby Greentree
Beltramone Gregory
Lars Greiving
Josh Grenon
Paul Greveson
Julia Griffin
Sam Griffin
Sam Griffin-Beat
Aaron Griffiths
Jonathan Griffiths
Rachel Griffiths
Dimi Grigoriadis
Danila Grigoryev
Léo Grimaldi
Daniel Grindrod
Mathias Grøteig
Julia Gstoettner
Jonny Gu
Sebastián Guajardo S
Joseph C Guanlao
Alexis Guariguata
Henri 'Hank' Guay
David Guegaden
Koray Guenbal
Tomas Guenette
Bernard Guerra
Raphael Guez
Enora Guillet
Heather Guillette
GullFire
Gunjio
Sunny Gurmakh
Ashly Gutierrez
Ruben Gutierrez
Andrew Guttridge
Alexandre Guys
Elena Guzmán Sánchez
Sofija Gvozdeva
Carolyn H
Anthony Hachez
Neo Oliver Hacke
Lewis HACKMANS
 Hackett
Matt Hadlington
Jens Haensel
Zai Hafiz
Shannon & Marisa
 Hager
Jason Midnightj45on
 Haidar
Chelsea Hale
Christian Hall
Christine Hall
Devin Hallford
Baptiste Hallopé
Kris Halpin
Philip Hammer
hanamichi2385
Loïc Hänggeli
Elmar Hanlhofer
Lasse Hansen
Ash Hardister
Lauren Hare
Paul Harket
 'tekSEVENzero'
Craig Harkness
Stevie Harman
Elliot Lee Harris
AC Harrison
Brian Harrison
Mark Harrison
Andhy Hartono
Elliot Hartwell
Yoshito Hasaka
Max Haskvitz
Gary Haslam

Suridh 'Shaz' Hassan
Delphin Hauchard
Frederic Haupt
Laura Haury
Barry Havenga
Vitaliy Havrylyuk
Stacie Hawdon
Chris Hawkins
Travis Hawthorne
Jonathan Hayes
Jordan Haynes
Tomoya Hearnshaw
Steven Heberle
Johan Hedberg
Jennifer Heilbronn
Adam Heitzman
Bechara Helal
Ole Helland
Daniel Helvick
Jan Hempel
Jan Henemann
Danny Heng
Patrick Hengartner
Claudius Henrichs
Tina Henry
Craig Heppner
Cindy Her
Dennis Martin Herbers
Julian Herforth
Andres Hernandez
Fernanda Hernandez
Justin L Hernandez
Ramiro Hernandez
Jamie Heron
Raul Herranz
Randy Herrera
Sergi Herrero Collada
Marc-Antoine
 Herrmann
Jonathan Hess
Tom Hetherington
Bryan Hewitt
heyits5am
HH
Leigh Hibell
Yuiki Higa
Ben Higginbottom
Chris Higgins
Johnny Hikari
Travis Hiland
Sam Hildebrand
Dwain Hill
Stephen Hill
Eric Rangi Hillman
Sam Hindmarsh
Laura Hinkel
Scott Hitchcock
Fia Hiuy
Jeff Hjelm
Maksym Hladchuk
Jimmy Ho
John Hoang
Nam Viet Hoang
Ngoc Bastian Hoang
Aaron Hobbs
Ollie Hoff
John Hoffman
Will Hoffner
Garrett Hogan
Si Holland
Kelly Hollen
Joel Hollingsmith
Paul Hollingsworth
Guy Holmes
Jamie Holmes
Tim Holmes
Denys Holovyanko

Kris Holt
Zak Holt
Andre Hoo
M Hooker
Neill Hooper
Brian Hopkins
Tomohiro Hori
Mark Horton
Jakob Horvath
Dominique Hostettler
Brian Hough
Stuart Houston
Adam Howard
Jake James Howard
Tom Howard
C Howell
Danny Howerton
Adam Howes
Ciaran Howley
Musab Hoxha
Jonathan Hoyland
Kristina Hristova
Ya Hua Hsieh
Shen Hsu
Kim Hu
Shirwin Hu
Philip Kit Hua
Felix Huang
Jonathan Huang
Lou Huang
Toby Huang
Christian Hubbard
Balazs Huber
Jared Hubertz
Emile Hudd
Jamie Hudson
Errolson Hugh
Alexander Hugh Sam
Ka Yen Hung
Peter J Hunt
Brian Huqueriza
Reshad Hurree
Yasir Husain
James Huson
Jackir Miftha Hussain
Shahzad Hussain
Christina Huynh
Synthesis Hyades
Chris Hyde
iam8bit
Ichisak3
Yasuhiko Ida
Idioteque Seed
Iga
George Iliakis
Nicolas Illg
Darren Imphean
Joy Ann Inlayo
Andrew Insunza
Nicole Iriana
Carlos Iribarnegaray
ishaaq
Christine Ishii
Erika Ishii
Jared Ishii
Rami Ismail
Natsumi Ito
Martin Ivanov
Adriana Izquierdo
Charlie Izquierdo
He Jin Zulvy Izzabilla

Lee Jackson
Richard Jackson
Mark Jacob
Patrick Jambo 'thepoj'
Mark James
Oliver James
Chau Janowski
Victor Jarnoux
Victoria Jasiecki
JavierSP
Mellissa Jay
Dev Jayakrishnan
Jayveer
Jc 'plataophoto'
Jeff
jennydear
Bjarte André Soldal
 Jensen
Daniel Jensen
So Young Jeon
Yuseok Jeong
Jason Jerger
Cal Jessamine
Jian Yuan
Jim '2up Studio'
Jesús Jiménez
Jimmy on the Run
Jáchym Jirá
Jochen Jockers
Gooson Joe
Hayes Johnson
Jenny Johnson
Josh Johnson
Rafe Johnson
Victor Tyler Johnson
Jon Jolley
Ludivine Joly
Tushar Joneja
Harriet Jones
Richard Jones
Sean Jones
Gil Joson
David Jou
Gary Joyce
Ross Jukes
Julio
Jeremy Jung
Tiffany Jung
Alexander Justiss
jyanome
John K
Joe Kadera
Dustin G Kahl
Ilan Kahn
Jan Kaiser
Tom Kalberg
Mark Kalygulov
Ryan Kam
Ajit Kang
Ryoko Kanke
Alex Kao
Karo
Steve Karpik
Brandon Karsh
Oakley Katterheinrich
Marc Kaufmann
James Kavanagh
Alan Kawahara
Yuta Kawakami
Thomas Kaye
Mohammed Kazi
Evgeny Kaznatcheev
Kalya M Kee
Jason Keel
Tom Keeling
Nicolas Keller
Paul Kelly

Aleister Kelman
David Kemp
Jouni Kemppainen
Zoë Kendall
Richard Kennedy
Sheila Kenny
Colin Kent
E Kentli
Kenya
Tommy-Paul Keo
Philip Kerckhoff
Kirsten Kersjes
Gabriel Yakir Ketteler
Sean Keymer
Michael Kierstead
Mimi Kieu
Camille Kiffer
Serdar Kilic
Niels Kim
Kim
Sean Kim 'hadenvr'
Ryan Kincaid
Daniel King
Kristina Kiritchenko
Matt Kirkcaldie
Lébeau Kitadibuita
Ryuhei Kitamura
Karolina Klimas
Alex Knight
Luke Knight
Dominique Knoll
Andrew Knowles
Tim Knowles
Julie Koehler
Curtis Kofoed
Kuroda Kohei
Leo Köhler
Pia Kohlschreiber
Miyawaki Koiru
Steven Kokshoorn
Natalie Kolega
Michaela Komarkova
Michael Komjati
komocode
Koola
Junk Koroba
Paul Korolenko
Denis Korovkin
Nikolai Korshunov
Gabor Kosarka
Jennifer Kosche
Toros Kose
Katie Kostorizou
Lassi Kotamaki
Pavel Koten
Piotr Kotowski
Stephanis Koukis
Denis Kovac
Jared Kowalski
Georg Krähenbühl
Jared Kraminitz
Janek Krause
Matt Krause
Kaidyn Kravetz
Daniel Krechmer
Tom Krieger
Kristian Kriehl
Leonardy Kristianto
Amandeep Kukreja
John-Christian
 Kultzscher
Steven Kumpf
Matthias Kuntz
Anssi Kuoppa
Rami Kuret
Damian Kurzawa
Akbar Riyadi Kusuma

Rasmus Kütt
kwokchain
Richard Kyle
Fei L
Chris Laakko
Ivan Labadie
 'Owlverlord'
François Lachance
Raphael Lacoste
Peter Lada
Romain Laforet
Bertrand Lagacherie
Kristan A Lai
Simon Lai
Aleissia Laidacker
Chris Laing
Matthew Lake
Will Lakeman
Karl Lakner
Rich Lal
Eric Lam
Kenny Lam
Zoen Lam
Domenico Lamanna
Leonardo Lambertini
Brandon Lampitoc
Andrew Lancaster
Kurt Lancaster
James Landsheft
Stefan Lane
Marcel Langer
Vincent Langner
Tim Lapetino
Christian Laporte
David Laranjeira
Claude Lardon
Jason Large
Kevin Large
Alexandre Laroumet
Mike Lau
Philippe Laurens
Jade Law
Lawknguyen
Jack R Lawless
Jack Lawrance
David Lawrence
Elizabeth Lawrence
Jack Lawson
Lee Lawson
Alexandra Le
Christophe Nhut Le
Yannick Le Berre
Hugo Le Bolloc'h
Raphael Lechner
Manon Leconte
Carmen
 Ledesma-Feliciano
Benedict Lee
Bret Lee
Deanna Lee
Kalun & Gloria Lee
Max Lee
Sae-In Lee
Tustin Lee
Xander Lee
Yvonne Siu Tong Lee
Rachel Lee Lai Chu
Tristan Lefloch
Federico Leggio
Patrick Lehrmann
Konstanze Leimcke
Isabelle Lejeanvre
Steven Lemaire
Sasha Lenskyj
Carlos Leon
Heiner León
Javier León Nieto

Olivier Leonardi
Jordan Leong
Cardona Léonie
Leow Wee Kiat
Cyrille Leroy
Andrew Lethbridge
Cyril Letonnelier &
  Caroline Rajcom
Jeffrey Leung
Jim Levasseur
Silver Lew
Kamron M Lewis
LD Lewis
Mark Lewis
Tom Lewis
Simon Leykum
Ian Li
Irene Li
Li-a
Jennifer Liao
Kalvin Jojo Liao
John Liberty
Jani 'janli_' Liesmäki
Lyon Liew
Daniel Lim
Merwyn Lim
Mike Lim
Lim Jing Han
John Lin
Thomas Lin Pedersen
Mateo Linares
Angelo Linary
Paige Linback
Joni Lindroos
Rob Lingwood
Matt Link
Simon Linsley
Adrien Liotard
Raelyn Lipscomb
Britney Liu
Clarissa Liu
Michael Liu
Jamie-lee Lloyd
Sarah Lloyd
Benjamin Brunette Lob
Ryan Locke
Cindy Lockwood
Nick Logothetis
Rens Lohmann
Simon Lomas
Justin Lomheim
David Lopez
Carlos Lopez Infante
Anthony Loquet
Ronnie LoSordo
Lou
Katie Louis
Loune
Assia Loutfi
Ethan Low
Suphie Low
Daniel Lowber and
  Josh Nelson
Matt Lowe
Shelley Lowe
Alun Lower
Andrew Lowther
Roberto Lucaciu
Jack Lucas
Mikael Lucas
Daniel Lucchesi
Joshua Ludewigt
Edward Ludwick
Rebekah Luke
Gaz Luke 'Telestisch'
Madelin Lum
Lorenzo Luna

Anne Lundedal
Ryan Luzaich
Anne Ly
Dan R Lynch
Keegan Lynch
Johannes Lynker
Norkel M
Arend Maatkamp
Scott MacAulay
James MacBeth
Idris Grey
  MacChruiteir
Todd MacDermid
Alejandro Machado
André Calretas
  Machado
Alexander MacLean
Andrew Macpherson
Virág Madácsi
Hayley Madden
Zoe Maddix
Cory Madeson
Ian Magee
Brendan Maglish
Jake Maguire
Thomas Maguire
Bess Maher
Junaid Ali Mahmood
Paweł Tomasz
  Majewski
Major
David Malam
Gregor Malcolm
Sergio Maldonado
  Delgado
Justin Maller
Erik & Rijulyn Malmer
David Malone
Mark Malone
Molly Maloney
Morgan Manach-Peres
Neil Manifold
Denis Maniti
David Manns
Hugo Manrique
Manson X
Alessandro Mapelli
Charlie Maragna
Ney Marc
Santi March
Jonathan Marchand
Marina Marchesi
Juan Marchetto
Berengan Marco
Laurent Marecaille
Stefano Marelli
Andreea Marginean
Daniel Marhely
Tony Marioni
Jesse Marks
Brendon Marotta
Rickie Marsden
Nicolas Marseaud
Antony Marshall
Karen Marston
Oliver Edward Martin
Samuel Martin-Cyr
Paul Martindale
Miha Martinec
Adrian Martinez
Santiago Martinez
Carlos Martinez
  Delgado
Yusuke Maruyama
Nicholas Marwell
Stu Maschwitz
Eliana Massetta

Giulio Mastantuono
Jawad Mataame
Megan Matheny
Matheus Matheus
Ohle Mathiebe
David Matkins
Yasuhiro Matsuda
Casey Matsumoto
Michiko Matsumoto
Caroline Matthews
Christopher Matthews
MattyBorealis
Maximum Slime
Maxoellig &
  oilyrenders
Raven
  Maxwell-Kavanagh
Charmara Mays
Sarah Mayzes
Carlos Mazon
Kira Mazurek
Karla Mc
Aaron Mc Adam
James McAlister
Noah Holiday
  McAllister
James McCalpine
Sue McCarthy
Leo McCarthy-Kennedy
Dan McClue
Graeme McCutcheon
Matt McDaniel
Bryan McDowall
Kenneth McDowell
Marie Aila McGarrity
Siân McGivern
Aaron McGonigal
Carter McGowen
Mark McGrath
Noel McGuinness
Stuart McInally
Kaitlin McKinnon
Will McLafferty
Craig McLean
Liam McLuckie
William McMakin
Dan McNamara
Ian McQue
Joe McReynolds
Andy Meakin
Karlo Medved
Scott Meek
Jesse Meha
Charisma Mehta
Dan Meis
Gleveau Melanie
Max Meller
Heitor Kooji Mello
  Matsui
Casey Melnik
Sasha Menarry
Mel Mencarelli
Ana Mendes
Antonio Mendez
CJ Méndez
Jesse Mendoza
Loris Meneguzzo
Daniel Menichini
David Michael Mensch
Marie-Sophie
  Meowornever
Brian Methot
metoru
Julien Meunier
Alexander Mew
Michael
TJ Mike

Zanis Mikelsons
Amir Mikhaeil
Ida Mikkelsen
Milan
Broxton Miles
Miles
Jason Miletta
Gavin Miller
Florian Millet
Jonathan Millet
Gary Milne
Olivier Milone
Diego Minguez
Dennise Minjarez
Ryo Minomiya
Luis Mira
Whitney Sherwood
  Misch II
Aqilah Mislan
David Mitchell
Jason L Mitchell
Lance Mitchell
Michael Mitchell
Stéphanie
  Mitrano-Méda
Anna Miyamori
Shiho Mizutori
Chris Mohajer
Chris Mohamed
Tahir Mohamed
Alexis Mohammed
Safia Mohamoud
Marie-Astrid Molina
Andrés Molina López
Eric Moliner Fulla
Ricard Molins
Kristoffer Møllegaard
Ryan Mongelluzzo
Lucid Monk
Angel Montalvo
Nicola Montefusco
James Montgomery
Bruno Monti
Jessica Moodey
mook8515
Craig Mooney
Kellie Moore
Adrián Mora
Daniel Morales
Alondra Morales
  'ChaoticShiomi'
Jerome Moreau
Sebastian Moreno
Brendon Morgan
Christopher Morgan
Jonathan Morgan
Lloyd Morgan-Moore
Kensuke Mori
Cesar A Morillo P
Andrew Morley
Andrew Morley
Toma Morris
George M Morris Esq
SB Morrison
Wes Morrison
Auverin Morrow
Melanie Moscatt
Allison Moses
Victor Mosquera
Alex Moten
Ravi Motha
MotionVFX
Titouan Motreuil
Laelilia Muuluud
Alex Moyet
Mr. Wig
Jaime & Cassidy

Mrozek
MuffinBrend
Jeremy Muir
Lucas Andrés Mujica
Alessandro Munari
Brandon Munoz
David Muñoz
Omar Muñoz Cremers
José Mario Muñoz E
Tejesh Munusamy
Cedric Muoneke
Sætia Murasaki
Roberto Murer
Jordan Murphy
Robert Murphy
Hannah Murray
Sebastian Murray
Matthew Musich
Chihaya Mutsukura
Paul Myers
Kaidyn N
Nur Afifah Nabila 'Lea
  Glitchx'
Ray Nadine
M Nagashima
Kazuki Nagatsu
Assadour Nahebtian
Amancay Nahuelpan
Behrouz Namakshenas
Scott Nangle
Danny Nanni
Jeshua Nanthakumar
Fernanda Napoles
Luka Nater
Nicolas Nater
Nathan Navarro
Jens Nave
Josh Nawacki
Diana Nazarova
Alan Neal
Allyse Near
Neb
Andy Needham
Luca Negri
Jacob Negus-Hill
Chris Nelson
neoncat
Lukas Neugschwender
Tyler Neumann
Daniel Neves Coelho
Sylvio Neves Neto
Denys Nevozhai
New Colour Boyz
Harvey Newman
Lilith Newman
Albert Ng
Ken Ng
Max Ng
Yi Ming Ng
Aeris Nguyen
Amy L Nguyen
Levi Nguyen
Linda Nguyen
Petar Nguyen
Richard Nguyen
Samantha Nguyen
Tam Le Nguyen
Tim Nguyen
Victor Nguyen
Vuong Nguyen
Antony Nguyen
  '_vntony'
Ming Ni
Róisín Nic
  Oireachtaigh
Nick
Nick

Van Nicoghosian
Julien Nicolas
Joshua Chung Ning
Zoe Nish
John Nolan
Zoe Nolan
Fernando Hiroshi
  Nomura
Magnus Nord
Alexandra Nordyke
Oscar Y Noriega Perez
Nao Norizuki
Alex Norman
Jeff Northcott
Seika Nou
Marcelo Novaes
Alberto Novoa Romero
Ludk Novotný
Peter Nowell
nswarm
Chelsi Mutya Nuevo
  Nolasco
nuM3th
Jatnna Nuñez
Andrei Penescu Nygren
Reece O'Connor
Daniel O'Leary
Joshua O'Reilly
Paul O'Shannessy
Corey O'Dwyer
Sean O'Halloran
Pete Oakley
Yukihiro Oba
Makito Ohira
Maxime Okon
Emil Ölander
Christopher Oldfield
Aleksandr Oleynik
Mariana Oliveira de
  Moraes
Joan Ollé
Niclas Olmenius
Jon Ongkeko
oota
Ramona Oprandi
David Ordonez
Christian Orellana
Jordan Orelli
Jorge L Ortega
Jose Ortiz
Bryan Ortiz-Gonzalez
Jonathan Orton
Lyle Oswald
Chris Otley
Takumi Owada
Barry Owen
Leonard Owen
Brad P
Benjamin Packer
Isabel Padilla
Martin Padilla
PAGAN
Melissa Page
Patrick Page
Annejulie Painchaud
Jocelyn Paine
Victor Pajot
Alejandro Pallares
Anthony Panecasio
Floris L Panico
Barnaby Panton
Liliano Papa
Carolyn Paplham
Laura Sophia Pappas
Victoria Papsco
Natasha Para
Raphael Parent

Danny K Parker
Jarrod Parker
Madison Parker
Ben Parsons
Matt Parsons
Al Partridge
Giulia Pasciuto
Tanner Pasimio
Pasman
Craig Paton
Courtney & Kyle
  Patrick
Mike Patterson
Patrick Patzer
Joven Paul
YingYing Paul
Benjamin Pautard
Jack Pearce
Jason Pearlman
Biagio Peccerillo
Jon Peck
Ben Peers
Michael Peiffert
Edgar Peirsegaele
Álvaro Pelayo García
Romain Pellé
Maikel Pellens
Lane Pelovsky
Lino Pena
Dave Pender
Dante Penman
Anthony Penteado
Mike Pepper
Louie Peregrino
Sergio Henrique
  Pereira Reis
Banun Perez
Julio Perez
Marcelo Perez
Mauricio Perez
Jorge Perez Rodriguez
Luis Periz Ponce
David Perks
Mitch Perreault
Ivan Perrett
Matt Perrin
Camille Perrot
Benoit Perrot-Minot
Didier Perrot-Minot
M Perry
Cassandre Peter
Daniel Peters
Kevin Peters
Mike Peters
Sebastian Peters
Tim Peters
Amy Petersen
John Peterson
Benjamin Petit
Margaux Petit
petmalfeck
Joseph Pett
Sarah Pettis
Joshua Pevner
Mike Pfeffer
Daniel Pham
Tyler Ian Pham
Minh Quan Phan
Roxanne Phan &
  Winnie Li
Ryan Phanthe
Daniel Phillips
Liz Phillips
Mark Phillips
Matthew Philson
Lux Lisbon Photobaker
Simon Phung

Giacomo Piciollo
Lucas Pickup
Francois Pietka
Stephen Pietrusiak
Pilz
Matej Pindroch
Jean-Gaël Pinochet
Karol Piotrowski
Gilles Piou
Denis Piovesan
Matthew Pirnazar
Julien Pirou
Steven Pirrie
Kolja Pitz
Anthony Pizzo
Stephen Platt
Samanta
  Pleskaczynska
Nicolo Podesta
George Pollard
Andrew polvino
Daniel Pomidor
Andrea Pongolini
Nathanial Poor
Alina Popescu
Dariia Porechna
Xavier Portela
Laurie Porter
Ross Porter
Lucien Portugal
Chris Porucznik
Lewis Potter
Russell Potter
Sadie & Andrew Potts
David Poulten
Magdalena Póniewska
Melissa Praeg
Benedict Prebble
Alexy Préfontaine
Irmi Pregler
Giovanna Prennushi
Andrew Preston
Rianna Preston
Cami Price
Colin Price
Theo Priestley
Paul Pritchard
Aaron Procter
Wanda Proft
Rudy Promé
Kyle Prothero
Tony Proud
Eric Proust
Patty Przewlocka
Ana Lucia Puga
  Caceres
Lisa Puishis
Livay D Punk
Adrian Purser
Liewanto Putra
Kenton Putzlocker
Rameez S Quadri
Edoardo Quagliato
Niña Quijano
Daniel Quinn
Rick Quinn
Adrián Quiralte
Steven Quirke
Jon R
Nakiasha R
Simon R
Jannik Rabe
Andrew Race
Hussain Radheyyan
Marie-Alana Ragan
Kevin Raggio
Scott Ragon

Florian Raichle
Michael Ralsky
Mauricio Ramirez
Ricardo Ramos
Kishan Ramsamy
Scott Ranken
Denise Rashidi
Mikkel Luja Rasmussen
Vina Rathakoune
Brandon Rattan
Raulhudson1986
Antonio Raveau
  Drouilly
Rick Ravenell
Scott Ravenscroft
Raw & Rendered
Jordan Ray
Nigal Raymond
David Raynor
Gary Read
Chris Reale
Recent Spaces
Patrick Redding
Rob Reed
Ryan Reeve
Conan O Regan
F Regenhold
Kirsty Reid
Kevin Reilly
James Renken
Pete Rennalls
Álvaro Resa
Marc Rettig
Nathan L Reynolds
Jon Ribbens
Edward Rice-Howell
Nadine Richard
Austin Richards
Lewis Richardson
Timothy Andrew
  Richardson
Alexander Ricketts
Rachel Rider
Vicki Rider
Paul Ridoux
Stefan Riekeles
Martin Rieppo
Natalia Riera Barragan
Alex Rigby
Austin Riley
Shaun Riley
Paolo Rinaldi
Tobias Rintoul
Xabierto Antoine Rios
  Vera
Marcos Rios-Lago
Craig Ritchie
Luke Ritchie
Tony Rivas
Kruz Rivera
Jacqueline Roach
roadtotherisingsun
Caroline Roberts
Philippa Roberts
Eilidh Isabel
  Madeleine Robertson
Christian Robinson
Tor Robinson
Lance Robison
Marvin Robles
Tiffany Robles
Robrecht & Stephanie
Matt Roche
Krzysztof Rodak
Elisa 'Coco' Rodrigo
Timothy Rodrigues
Efren Rodriguez

Luis E Rodriguez
Jorge Rodríguez
  Dueñas
Hannah Rogers
Matt Rogers
Tate Rogers
Pieter Röhling
David Röhr
Alex Rokholm
Thomas Rollus
Johannes Rolsing
Steve Rolston
David Roman
Anthony Romano
Jennifer Romero
  Cervantes
Sophia Ronen
Erik Rönnblom
Campbell Rooney
Élodie Roosz
Ricardo Roovers
Loic Ropars
Robert B Rosario
Melissa Rose
James Rosenquist
Zaccheus Roserie
Debbie Ross
Hannah Ross
Olivier Rossel
Armand Rossie
Marc Rouleau
Guillaume Rouzic
Freddie Rowe
Gilad 'Shnoogy'
  Rozenkoff
James Ruddin
Ruhkillmeez
Pablo Ruiz Valls
Jay Runquist
Gonzalo Martin Rus
  Serrano
Mikey Russell
Victoria Russell
Skye Rutherford
Stuart Rutherford
Pekka Ruuska
Damon Ryan
Patrick Ryan
William J Ryan
Toby Ryuk
Emma S
Steven S
Shankar Saanthakumar
Alvaro Saavedra
Roberto Saavedra
Joseph Sabatini
Alana Sabene
Sabrina
Pete Saddington
Mohit Sadhu
Jose Saez-Merino
Aaron Sagan '
Ludger Saintélien
Omitri Salcedo
Alexandre Saleh
Fas Salim
Riku 'DrSaunders'
  Salminen
Sam
Chiara Samardzic
Gerda-Katrina Samm
Darren Sampson
Zoë Sams
Michael Samuels
Michael Scott San
  Roman
Ivan Sanandres

Gutierrez
Adrián Sanchez
Eliezer Sánchez
  González
Juan Antonio Sanchez
  Jimenez
Ignasi Sanchez Parada
Brian Sander
Mark Sanders
Felix
  Sanders-Dunnachie
Tim Sandwick
Nova Sangfroid
Toni Sans
Paul Santagada
Eric D Santana
Roger van Santen
María Santiago
  Carretero
Hugo Santos
Lúcio dos Santos
Marcus Santos
Miguel Sanz Vidal
Vittorio Sapienza
Imran Sardar Galmés
Sanjeev Saroy
André Sartori Valck
Chiramjibee Satapathy
Yuuma Sato
Yvan Satyawan
Chris Saucier
Micha Savelsbergh
Jon Saville
Jeremy Scarella
Sebastian Schade
Stephan Schaefholz
Petra PRRRR Scherer
Carsten Scherr
Yasmin Schimmer
Thierry Schlegel
Inger Schmit
Carmen Schneidereit
Zachary B Schoening
Sean Schofield
Mark Schön
Martin Schoonmaker
Lukas Schrank
Balz Schreier
Casey Schreiner
Christian Schroeder
Keldon Schroen
Marcel Schuhardt
Claude-Alain Schweri
Juliane Schwieger
Gavin Scott
Rachel Scott
Steven Scott
Tommaso Scotti
Nik Sdo
Amanda Sears
Season One Tattoo
Alžbta Sedláková
Bernhard Seefeld
Jared Seehafer
Seehof
Marvin Seibert
Katherine Selector
Selene
Tim Sennitt
Fiona Sergison
Matt Sernett
Cheo Serrano
Patricia Serrano
Xavier Serrano
Aurore Servant
Alessio Sguerri
Thomas Shadwell

Shaky
Saad Sharif
Samrat Sharma
Travis Sharpe
Leigh Sharples
Abbi Shaw
James Sheen
Sohaib Jubran Sheikh
Hardy Shein
Arthur Shek
Matthew Shellenberger
Paul Shergill
Patrick Sherlock
Matthew Sherratt
Laura Shervington
Alex Shilts
Saffron Shingler
Takemura Shinichi
Samin Shirazi-Kia
Aznim Shireen
Tsurii Shogo
Chris Shotton
Emanuel Shpigel
Carol Shvedchenko
SICK STAR
Muhammad Siddiq
Jasveer Sidhu
Mauricio Cardoso Silva
Aaron Silverstein
Dan Silverstone 'Pica'
Martina Simonetti
James Simpson
Braden Sincere
Steve R Sipaque
Aram Siruni
SkunkWorld
Callan Skuthorpe
Slade-Kane
Chris Slater
James Sloan
Maciej Slomczynski
Xander Smalbil
Ulina Small
Rob Smallbone
Adam Smith
Alex Smith
Brian Smith
Dave Smith
Eric Smith
Hannah Smith
James Smith
Jessica Smith
Jordan Smith
Samuel Smoker
Jeroen Smolenaers
Bjarki Snorrason
Sohaib
Sosonniya Sokhom
Jay Solanki
William Soleil
Franck Solimeis
Somin
Benjamin Song
Edward Song
Oona Sorala
Dennis Sørensen
Lynn Sorenson
Tim Soret
Gerald Mark Soto
Oluwaseun Sotonwa
Alexy Souciet
Timothy Souter
Vlad Spears
Daniel Speer
Spekular
Clark & Cheryl Spencer
Stuart Spencer

Tim Spencer
Spencer Spenst
Friedrich Wilhelm
  Spieker
Daisy Spiers
Allison Spinec
Gregory Sprinkle
Kathrin Stäblein
Clark Stacey
Adrien Stadelmann
James Stafford
Lawrence Stagnetto
Mark Stalzer
Linda Stansfield
Kyle Starr
Martin Stastny
Nikolaj Stausbøl
Debbi Steele
Stefan ' P'
Stefi & Xavi
Stephan Steinbach
J Step
Philipp Stephan
Matt Stevens
Craig Stevenson
Jamel Stevenson
Andrew Stewart
Cameron Stewart
Jason Stewart
Matthew Stewart
Ian Stirling
Rob Stockdale
Torsten Stocker
Craig Stoddart
Brendon Stokes
Joe Stone
Sierra Stone
Stoyan Stoyanov
Andrew Strang
Max Stratiev
McKinley Stratton
Nico Strauss
Kimber Streams
Trevor Streefkerk
Samantha Strinic
Anders Ström
Michael Strömgren
Jay Strybis
Blake 'Danger' Sturges
Pep Subirana
John Suciu
Muzi Sufi
Gary Sukrattanawong
Ivan Sulestio
Liv Sullings
Nick Sumbles
Henry Summers
Anders Sundström
Joaquim Suñé Azores
Ioana Alex Sunica
Sammy Sunrise
Steven Surgeoner
Alex Sushil
Tony Susi
Philip Suter
suzukinii
Roman Svaton
Emilie Rae Ohanian
  Svensson
Max Sydenham
Kathryn Sykes
Konrad Syx
Balint Szollar
Anis Tabbouch
Bianca Taguiang
Mohammad Taher
Azam Taiyeb

Joe Tam
Megan & Nick Tamas
Solymosi Tamàs
Cecilia Xi Yan Tan
Nic Tan
Tanda
James Tandy
Evie Tarr
Arthur Tasquin
Will Tatro
Garry Taulu
Brandon Tave
Jason Taylor
Jason Taylor
Radoslav Tchaoushev
TechWolf
Nassim Kamel Teffah
tekniklr
Temaeva
Claudia Templeton
Tsuki Tenicela
Shawn Teow
Katsuya Terada
Ashie Ternan
Jeryll Terre
David Tetlow
Paul Thalemann
Matthijs Thalen
Julian Tham
theFranks
THENORTHERNFEEL
Guihard Theo
theyurinator
Gael Theze
Antoine Thibaut
Chattria Thinroj
ThisSunday
Thom
Benjamin Thomas
Blake Kathryn Thomas
Jordan & Melissa
  Thomas
Kyle Thomas
Mike Thomas
Marc Thommen
Jonathan Thompson
Matt Thompson
Mitchell Thompson
'Chewy' Thomson
Matthew Thornwald
Chris Thorpe
James Thorpe
Bastian Thorwarth
Chris Threlfo
Ivy Tien
Paul Tierney
Jimmy Tilley
timto
Felix Tindall
Luis Tinoco
Connor Titmarsh
Tizz
Leo Tobisch
Yukinori Togari
Toni Toivonen
Tom
Tomas
Manfreed Tomegah
Richard Tomlinson
Benjamin Tong
James Tonkin
Théophile Tordjman
Leonardo Torres Novoa
Michael Torcell
Derren Toussaint
Mark Towning
Chris Townsend

Michael Tracy
Hao Tran
Nathan Tran
Pascal Tran Binh
Alexandre Travassos
Jillian Trelease
Chara Triantafyllidou
Sanrina Trinh
Katherine Tromans
Benjamin Tron
Joanna Truman
Tai Tsan
Sheryl Tsosie
Ella Tucker
Agustina Tuduri
Sam Tung
Florent Tunno
Adam Tunstall
KT Tunstall
Turbo57
David Turner
Kai Turner
Mark Turner
Mike Turner
Tomas Turner
Francis Turnly
Alexandra Twin
Kirsty Twohill
Elias Tzoitis
LaLaine Ulit-Destajo
Sachin Uplaonkar
UpstartThunder
Urdwex
Eugen Uretzki
Roberto Vacca
Martine Valentin
Avinash Vallabh
Louis Valladares
Tommaso Valsecchi
Erik Van den Abbeele
Judith van der Klei
Pascal Van Der Sluis
Patrick Van der wal
Nicholas Van
  Doeselaar
Thijs van Irsel
Brock Van Komen
Stephan van Mierlo
Gabrielle van Well
Jaimie Vandenbergh
Cato Vandrare
Daniel Vangel
Yuri Vanin
Vesa Vänskä
Akos 'cOp' Varga
Karl Vavrek
Alberto Vazquez
Karen Vazquez
veence
Jennifer Velasquez
Drew Vereen
Camiel Verhey
Daniel Verley
M Verma
Timo Verschueren
Kevin Vestri
Oillon Vicente
Jourdan Villalon
Daniel Villegas
Keven Villeneuve
Paul Villeneuve
Oliver Vince
Thomas Vincent
Thomas
  Vincent-Townend
Sandal Vinokurov
Vinz

Marco Virando
Vireeya
Morgan Visconti
Modestas Visockas
Alex Vissaridis
Vitalii
Cesar Viteri
Dan Vogt
Simon Vogt
Terry Vongsouthi
Koby Vorachard
Yakov Vorobyev
Anthony Vrakotas
Chuong Vu
Vu Khanh Mai Anh
Thien Vuong
Will Vuong
vyo
Walter Wade
Aleksander Moeslund
  Wael
Michelle Wakabayashi
Ty Wakabayashi
Steve Wald
Barry Walker
Douglas Walker
Simon Walker
Darren Wall
Pete Wallington
Chris Walters
Mark A Walther
Vanky Wan
Anouk Waning
Roland Warren
Jack Waterfall
Jason Watson
Sam Watson
Brian Weaver
Nick Webb
Chloe Webber
Martin Webber
Ariel D Weber
Christian Weber
Federico Weber
Anthony Webster
Barry Webster
Brenda Weede
Hannah Wei
Diane Weidenkopf
Courtney Weitkamp
Richard Welch
Adam Wells
Jonathon West
Nicola West
Jakob Westman
Brad Weston
John Wheeler
Nathaniel Wheeler
Jonathon Wherry
Joshua Whetton
Melinda Whitaker
Denzel Whitaker
  'BLACKMOUF'
Anthony J White
Barney White
Barry G White
Bradley White
Nick White
James White
  'Signalnoise'
Kalen Whitfield
Aaron Whitmore
Jasper Whitmore
David Whitney
Gordon Widener
Toby Wiedenhoefer
Erik Wiedenhof

Dennis Wiemann
Justin Wiesenfeld
Mattias Wiklund
Alex Wilder
Diana Wilhelmsson
Matthew Wilkins
David Wilkinson
Adrian Eugene Daniel
  Williams
Ben Williams
Calvin Williams
Patrick Williams
Brian Wilson
Dan Wilson
Daniel Wilson
KA Wilson
Maximus Wilson
Rob Wilson
Winfinite8
Mike Winkelmann
Ian Winningham
Pénélope Wintringer
Jerome Wisard
James Wise
Corey Wojen
Amélie Wolek
Robert Wolf
Adeline Wong
Gilbert Wong
Hubert Wong
Kaiyi Wong
Liam Wong
Philip Wong
See Liang Wong
Katie Woo
Jason Wood
Anthony Woodcock
Natalie Wooding
Bianca Woods
Kristopher Woods
Workbench.tv
Geoff Worting
Jo Worrall
Worship Studio Ltd
Logan Wright
Simon Wynants
Xiados
Justin Xiao
YabanHart
yajo
Aya Yamada
Taro Yamashita
Allen Yang
Haoyuan Yang
Lingyun Yang
Michael Yang
Edward Yao
Robert Yarwood
Cole Yeager
Yeahmedia
YHX
Idmon Yildiz
Dave Young
Ross Young
Sara YSF
yts
Anthony Lang Yu
YummyColours
Gordon Yung
Evgueni Zadvornykh
Alberto Zagami
Eileen Zahlbaum
Mashael Zaidi
Jaina Zakir
Karen Zamora
Leonardo Guglielmo
  Zanatta

Sara Zancotti
Ely Zarnegar
Thomas Zeien
Steph Zemlak
Zethian
Zhunping Zhang
Raymond Zhou
Asher Zhu
Frank Zhu
Michael Zimmerman
Mark Zlatkin
Zog from Zart
Monika Zombik
Jean-Piero Zuccarini
Melanie Zunic
Jeff Zwicker
Kuba ywko
OKU

LIAM WONG

リアム・ウォン トーキョー

TO:KY:OO

ゲームデザイナーが切り取った夜の街

発行日→2020年8月13日／初版第1刷発行
　　　　2021年8月12日／第2刷発行

著者→リアム・ウォン

翻訳→大浜千尋
日本語版デザイン→比嘉広樹
校正→三井章司
日本語版制作進行→斉藤 香

発行人→三芳寛要

発行元→株式会社パイ インターナショナル
　　　　〒170-0005 東京都豊島区南大塚2-32-4
　　　　TEL.03-3944-3981／FAX.03-5395-4830
　　　　sales@pie.co.jp